À tous les membres d

L'apprentissage de la lecture est l'une des ré
importantes de la petite enfance. La collection
pour aider les enfants à devenir des lecteurs experts qui aiment lire. Les jeunes lecteurs apprennent à lire en se souvenant de mots utilisés fréquemment comme «le», «est» et «et», en utilisant les techniques phoniques pour décoder de nouveaux mots et en interprétant les indices des illustrations et du texte. Ces livres offrent des histoires que les enfants aiment et la structure dont ils ont besoin pour lire couramment et sans aide. Voici des suggestions pour aider votre enfant avant, pendant et après la lecture.

Avant

Examinez la couverture et les illustrations et demandez à votre enfant de prédire de quoi on parle dans le livre.

Lisez l'histoire à votre enfant.

Encouragez votre enfant à dire avec vous les mots et les formulations qui lui sont familières.

Lisez une ligne et demandez à votre enfant de la relire après vous.

Pendant

Demandez à votre enfant de penser à un mot qu'il ne reconnaît pas tout de suite. Donnez-lui des indices comme : «On va voir si on connaît les sons» et «Est-ce qu'on a déjà lu un mot comme celui-là?»

Encouragez l'enfant à utiliser ses compétences phoniques pour prononcer d'autres mots.

Lorsque l'enfant a besoin d'aide, lisez-lui le mot qui pose problème, pour qu'il n'ait pas trop de mal à lire et que l'expérience de la lecture avec les parents soit positive.

Encouragez votre enfant à lire avec expression... comme un comédien!

Après

Proposez à votre enfant de dresser une liste de mots qui l'intéressent et qu'ils préfèrent.

Encouragez votre enfant à relire ses livres. Il peut les lire à ses frères et sœurs, à ses grands-parents et même à ses toutous. Les lectures répétées donnent confiance au jeune lecteur.

Parlez des histoires que vous avez lues. Posez des questions et répondez à celles de votre enfant. Partagez vos idées au sujet des personnages et des événements les plus amusants et les plus intéressants.

J'espère que vous et votre enfant allez aimer ce livre.

Francie Alexander,
spécialiste en lecture
Groupe des publications
éducatives de Scholastic

ISBN : 0-439-00419-5

Titre original : The Great Race

Édition publiée par Les éditions Scholastic, 175, Hillmount Road, Markham (Ontario) Canada, L6C 1Z7.

5 4 3 2 1 Imprimé aux États-Unis 8 9 / 9 0 1 2 3 4 / 0

La course des animaux

Texte et illustrations de David McPhail

Texte français de Lucie Duchesne

Je peux lire! — Niveau 2

Les éditions Scholastic

Tous les animaux
de la ferme s'ennuient.

— On organise une course?
— Où? demande le canard.

— Une course autour du monde, dit l'oie.
— C'est trop loin, dit le coq.

— Pourquoi pas autour
de la basse-cour?
propose le cochon.

Les animaux se mettent en file
devant la clôture de la basse-cour.
— Quand est-ce qu'on part?
demande le canard.
— Lorsque je dis «Partez!»,
répond le chien.

Le coq se met à courir.
— Tu as dit «Partez!» crie-t-il.
Alors je pars!

Les autres animaux courent
derrière lui. Le canard, l'oie,
la vache et le chien.
Le cochon les suit.

Mais le cochon trébuche et tombe.
Il dévale la pente...

par-dessus l'oie, le canard,
la vache et le chien.
Il atterrit tout droit sur le coq.
«Ouffff», fait le coq.

Les autres animaux s'arrêtent
et vérifient s'il y a des blessés.
— Tout va bien, dit le coq.

— Je me sens étourdi,
dit le cochon.

Et la course continue.

Lorsque le coq passe à côté du poulailler, les poules l'applaudissent.

Mais le coq glisse dans
une flaque de boue.
Tous ses compagnons aussi.

Tous? Non. Pas le cochon.
Il connaît bien la boue.

Le cochon dépasse
ses camarades.
La course est presque terminée.

«Grompf, grompf, grompf»,
fait le cochon.

«Clop, clop, clop»,
fait la vache.

«Tap, tap, tap»,
fait le chien.

Le canard, l'oie et le coq font aller leurs ailes pour aller plus vite :
«Flap, flap, flap!»

Et tous les animaux arrivent
en même temps à la porte
de la clôture.

— J'ai gagné! crie le canard.

— Moi aussi! dit l'oie.

— Et moi aussi! meugle la vache.

Le coq fait la révérence.
— Je suis le meilleur!

— Je mérite une médaille d'or, dit le chien.

— C’est moi le champion,
dit le cochon.

Et... ils ont tous eu du plaisir
et s'en vont pour une sieste
bien méritée.